La chasse au

Léo-James Lévesque

Illustrations: François Ruyer

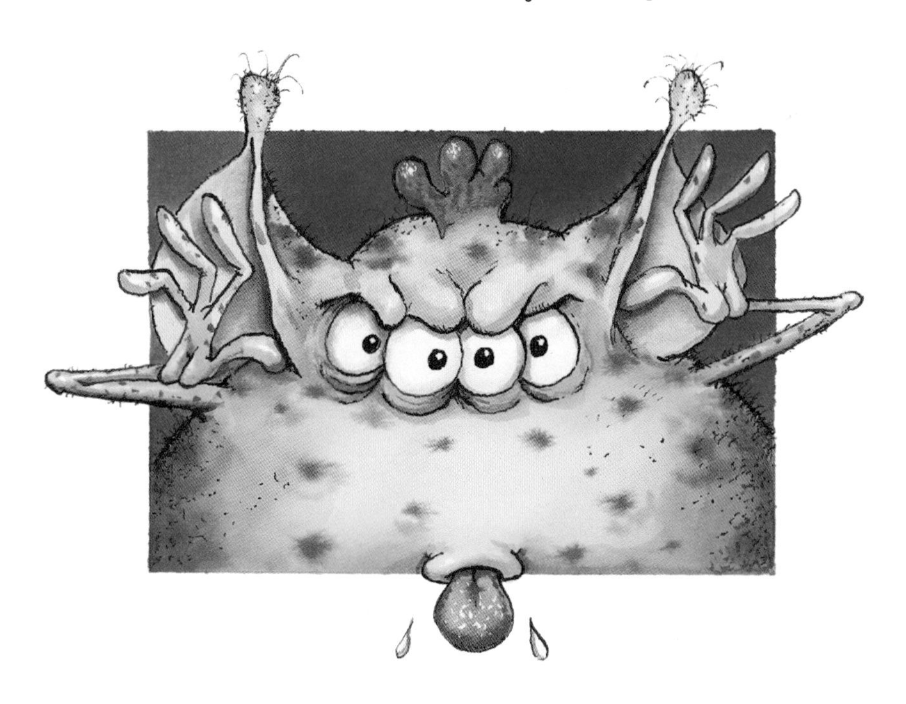

Directrice de collection: Denise Gaouette

Données de catalogage avant publication (Canada)

Lévesque, Léo-James

La chasse aux monstres

(Rat de bibliothèque. Série Jaune ; 5)
Pour enfants de 6-7 ans.

ISBN 2-7613-1333-X

I. Ruyer, François. II. Titre. III. Collection : Rat de bibliothèque (Saint-Laurent, Québec). Série jaune ; 5.

PS8573.E962C42 2003 jC843'.6 C2003-941512-0
PS9587.E962C42 2003

Dépôt légal : 4e trimestre 2003
Bibliothèque nationale du Québec
Bibliothèque nationale du Canada

IMPRIMÉ AU CANADA

234567890 IML 098765
10504 ABCD JS16

C'est la nuit.
Denis est dans son lit.
Il lit des gros livres sur les monstres.
Denis sait tout à propos des monstres.

Il fait noir dans la chambre de Denis.
Les rideaux sont fermés.
La lampe est éteinte.
Les jouets sont endormis.
Soudain... Denis entend un bruit.

Denis a peur. Il crie :
— Grand-papa, grand-papa,
viens vite !
J'entends un drôle de bruit !

Grand-papa arrive aussitôt.

— Je ne peux pas dormir, dit Denis.
J'entends un bruit bizarre.

— N'aie pas peur, dit grand-papa.

Grand-papa serre Denis très fort
dans ses bras.
— Quand tu es là,
je n'ai plus peur du tout,
dit Denis.

Grand-papa ouvre les rideaux.
La pleine lune sourit sur le village endormi.
— Quelle belle nuit pour chasser
les monstres ! dit grand-papa.
Denis et son grand-papa partent
pour la chasse aux monstres.

Denis et son grand-papa écoutent.
Ils entendent un bruit bizarre...
— Ce n'est pas un monstre.
C'est une grenouille dans l'étang du voisin.
Elle prépare un grand concert,
dit grand-papa.

Denis et son grand-papa écoutent.
Ils entendent un autre bruit bizarre…
— Ce n'est pas un monstre.
C'est un hibou dans l'arbre du voisin.
Il prépare un grand discours,
dit grand-papa.

Denis et son grand-papa écoutent.
Ils entendent encore un bruit bizarre...
— Ce n'est pas un monstre.
C'est un camion dans l'entrée du voisin.
Il se prépare pour un long voyage,
dit grand-papa.

Denis et son grand-papa regardent sous le lit.
Il n'y a pas de monstre.
Denis et son grand-papa regardent dans le coffre à jouets.
Il n'y a pas de monstre. Mais...

Pijamo est dans le coffre à jouets.
Denis est content :
— Regarde, grand-papa !
Pijamo est l'ourson en peluche
que tu m'as donné à Noël.

Denis serre Pijamo très fort dans ses bras.
Denis sait que les monstres ont peur des oursc
Les monstres ont surtout peur des oursons
couverts de poils blancs tout doux.

Denis se couche avec Pijamo.

— Mon brave Pijamo va faire peur aux monstres. Grâce à lui, je vais bien dormir toute la nuit, dit Denis.

Il fait noir dans la chambre de grand-papa.
Les rideaux sont fermés.
La lampe est éteinte.
L'ordinateur est endormi.
Soudain... grand-papa entend un bruit.